DE PECHO

Loreto de Miguel y Alba Santos

Colección «**Para que leas**»:
Dirigida por Lourdes Miquel y Neus Sans

Primera edición: 1987
Segunda edición: 1991
Tercera edición: 1995
Primera reimpresión: 1997
Segunda reimpresión: 1998
Tercera reimpresión: 1999

Diseño de colección y cubierta: *Angel Viola*
Ilustraciones: *Mariel Soria*

ISBN: 84-7711-024-7
Depósito legal: M-34736-1999
Impresión: RÓGAR, S.A.
Encuadernación: PERELLÓN, S.A.

Impreso en España
Printed in Spain

—¿Diga?

—Susi, por favor, pásame con mi hijo.

—Es que está hablando por el otro teléfono, doña Cecilia.

—Esperaré.

—De acuerdo. En cuanto termine, se lo paso.

Susi, la secretaria del detective Pepe Rey, no soporta a doña Cecilia. Sólo llama a primeros de mes para pedirle dinero a Pepe, es autoritaria y nunca le preocupa lo que pueda pasarle a su hijo, al que las cosas no le van demasiado bien: separado desde hace unos cuatro años, ve a sus hijos dos fines de semana de cada mes y quince días en vacaciones, vive solo y no consigue encontrar a la mujer de su vida. Bebe bastante, sobre todo Rioja[1], come bastante mal y no se cuida. Pero todo eso no le importa a su madre, una toledana[2] de familia adinerada que desde que se quedó viuda se dedica a merendar con sus amigas, ir al cine o al teatro de vez en cuando y a hacer viajes organizados para jubilados. Y casi todo lo paga Pepe Rey, porque doña Cecilia no tiene bastante con la pensión de viudedad[3] y, como ella no ha trabajado en su vida, tiene que recurrir a uno de sus hijos, el mayor, para seguir viviendo como vivía antes. No es que Pepe gane mucho dinero —un detective pasa épocas de mucho trabajo y otras de no cobrar un duro—, pero es un sentimental, incapaz de negarse a ayudar a su madre. Doña Cecilia lo sabe y por eso le llama cada mes.

Una secretaria particular, aunque no quiera, se entera de todo lo que le pasa a su jefe. Susi, por tanto, conoce bien las relaciones entre Pepe y su madre y se pone de mal humor cada vez que oye la voz de esa mujer. Además, y no puede evitarlo, le tiene muchísimo cariño a Pepe y le gustaría que tuviera una vida más fácil.

Suena el teléfono interior. Es Pepe.

—Susi, ponme con mi oficina de la Caja de Ahorros[4].

—Ahora mismo, jefe. Su madre está en la línea dos.

—¿Mi madre? No me digas que ya estamos a primeros de mes...

—Me temo que sí, jefe. ¿Se la paso?

—Mmm... Espera porque... Bueno, sí, pásamela.

—¿Doña Cecilia? —pregunta Susi después de haber apretado un botón del teléfono—. Le paso con su hijo.

—¡Menos mal! Pensaba que iba a estar esperando todo el día.

* * *

"¡Qué mujer!", piensa Susi. Busca en el listín el teléfono de la Caja, pero antes de llamar va a esperar un rato porque sabe que la conversación entre madre e hijo será bastante larga. Empieza a pasar a máquina una carta y suena el timbre. Susi se levanta y se arregla un poco el pelo. —"Nunca se sabe. Puede ser un cliente guapo"—, se mira en el espejo del recibidor y abre la puerta. Delante de ella un hombre guapísimo, alto y fuerte, muy moreno de piel, de pelo negro y rizado y unos inmensos ojos verdes le sonríe. No está solo. Va acompañado de una mujer también muy guapa y elegante que va cogida de su brazo. "Los hombres así siempre van acompañados", piensa rápidamente Susi y, recuperándose de la impresión, les dice:

—Buenos días. ¿Qué desean?

—¿Está el señor Rey?

—¿Tienen ustedes una cita con él? —les pregunta Susi, aunque sabe que no, porque ella se ocupa de citar a los clientes.

—No, no tenemos, pero...

—Pues si no les importa, les doy hora para otro momento.

—Es que... Verá, señorita —le dice el hombre intentando convencerla con una de sus mejores sonrisas—, se trata de un asunto verdaderamente urgente. Necesitamos hablar con él lo antes posible.

El hombre tiene un ligero acento andaluz[5], muy

suave, tanto que apenas se nota. Mientras el hombre habla, su acompañante le mira con admiración. "Ésta está locamente enamorada de él. Seguro que hace poco tiempo que salen juntos", piensa Susi, que en cuestiones amorosas es bastante pesimista.

—El problema —dice Susi— es que hoy el señor Rey está muy ocupado y no creo que pueda atenderles. Pero pasen un momento y siéntense, que voy a preguntarle si puede recibirles. ¿Me dice su nombre, por favor?

—Rafael Linares y señora.

"Recién casados. Éstos están recién casados", piensa Susi mientras cierra la puerta de la sala de espera, una pequeña habitación con sillones no muy cómodos y bastantes plantas que Susi cuida personalmente.

Cuando Susi llega a su despacho ve una luz roja en el botón de la línea dos del teléfono. "Todavía está hablando, el pobre." Espera un poco más, pero, pensando que Pepe necesitará una excusa para terminar la conversación con su madre, entra en su despacho.

—Jefe —le dice bajito—, tengo que hablar un momento con usted.

—Mamá —dice el detective—, mamá... Espera un momento, mamá, que me llaman. Sí, sí... Espera. —Pepe tapa el auricular con la mano, pone cara de agotamiento y mira a Susi buscando comprensión—. ¿Pasa algo o es una excusa para salvarme? —le pregunta sonriendo.

—Es que tiene una visita. Es una pareja que no estaba citada, pero que dicen que es muy urgente.

Yo les he dicho que usted estaba muy ocupado... Si quiere, les digo que vengan en otro momento...

—A ver, déjame pensar... No te vayas, espera.

Pepe se vuelve a poner al teléfono.

—Oye, mamá, tengo que dejarte. Ha llegado una visita y lleva bastante rato esperando... Ya sabes que no me gusta hacer esperar a los clientes... Sí, sí, no te preocupes por eso. Mañana sin falta te ingreso el dinero. Que no, que no me olvido. Bueno, mamá, cuídate. Adiós. Sí, tranquila. Adiós. Un beso.

Pepe cuelga. Coge un cigarro y mira a Susi.

—¡Las madres! Bueno, ¿y quiénes son ésos?

—Me ha dicho que se llama Rafael Linares.

—¡Caramba! Tiene nombre de torero...

—Lo veo de muy buen humor, jefe.

—Es que tú y ese hombre me habéis salvado de una larga discusión familiar...

—¡Ah! Es por eso...

—Pero me has dicho que era una pareja.

—Sí, él y su mujer.

—¿Y te han dicho qué les pasa?

—No, sólo que era muy urgente.

—Todas las personas que quieren hablar con un detective privado dicen que es muy urgente.

—A los médicos les pasará lo mismo —dice Susi pensando en sus amigos médicos.

—No lo dudo... A ver, Susi, ¿tengo a alguien citado?

—Por la tarde sí. Tiene dos visitas: los del caso Mateo y un industrial que viene por primera vez.

—Susi, sinceramente, ¿tú entiendes por qué hay temporadas de tanto trabajo y otras de tan poco?

—No, jefe. Serán los astros —le contesta riéndose—. Bueno, ¿qué les digo?

—Que pasen. Pero, primero, ponme con la Caja de Ahorros.

—A la orden.

* * *

Susi va a su mesa. Llama a la Caja y unos minutos después entra en la sala de espera y les dice a los Linares[6] que el detective los va a recibir y que pueden pasar a su despacho. Cuando entran, Pepe acaba de colgar el teléfono. "Esta Susi —piensa con cariño— lo tiene todo controlado."

—Siéntense, por favor —les dice Pepe.

—Gracias.

—Bueno, ustedes dirán...

—Es un poco largo de explicar y complicado.

—No se preocupen por eso. Estoy acostumbrado.

—Sí, claro, me lo imagino... Queremos que usted nos ayude.

—Bien, cuéntenme. ¿De qué se trata?

Rafael Linares se acerca un poco a Pepe para empezar a contar la historia. Su mujer se acomoda en el sillón, cruza las piernas y enciende un cigarrillo. Pepe Rey, que es un gran observador, comprende que, efectivamente, el relato va a ser largo.

—Verá. Hace un mes aproximadamente murió mi madre. Estaba perfectamente, aunque era bastante mayor, pero un día le empezó a doler el pecho. La llevamos al hospital y ya no salió de allí. Duró cuatro días. El corazón...

—A esas edades... —dice Pepe por decir algo y sin entender todavía la relación entre esa pobre mujer y él.

—Yo soy hijo único —sigue Rafael— y he vivido toda la vida con mi madre. Incluso después de casarme, Carmela, mi mujer, aceptó vivir con ella, en nuestra casa. No conocí a mi padre. Todo el mundo me había dicho que murió cuando yo acababa de nacer. Bueno, pues un día antes de morirse mi madre me dijo que mi padre estaba vivo, que yo era el resultado de los amores de mi madre con un señorito sevillano[7], muy rico e importante que cuando se enteró de que mi madre estaba embarazada, la abandonó...

—¿Entonces Linares no es el apellido de su padre?[8] —le pregunta Pepe empezando a deducir como un detective.

—No. Es el apellido de un buen amigo de mi madre que aceptó reconocerme como hijo suyo para que mi madre no tuviera problemas... Ya sabe, en aquella época, a finales de los 40, una madre soltera tenía muchos problemas para ser aceptada por la sociedad[9]... Y, sobre todo, en ciudades pequeñas como Sevilla.

—Desde luego. ¿Y qué pasó con ese amigo de su madre?

—Fue el que murió cuando yo nací.

—Ah, ya entiendo. Si le he entendido bien, lo que usted quiere es que le ayude a encontrar a su padre.

—Exacto.

—¿Le dijo algo más su madre?

—Sí. Por eso he decidido hablar con usted. Me dijo que hace tres o cuatro años mi verdadero padre la fue a ver. Estaba arrepentido de lo que había hecho. Mi madre no le perdonó y lo echó de casa. Las últimas palabras de mi padre fueron: "Dolores, cuando yo me muera, nuestro hijo recibirá todo lo que no le he dado en vida."

—¿Y eso es todo? —pregunta Pepe un poco escéptico.

—Sí, eso es todo.

—Lo que pasa —añade Carmela— es que, según la madre de Rafael, es muy posible que de verdad cumpla esa promesa.

—Comprendo. O sea que ustedes quieren localizar a ese hombre, probar que es su padre y conseguir, cuando se muera, el dinero que les corresponda en la herencia. ¿Es eso?

—Efectivamente.

—¿Y cómo se llama su padre?

—Ahí está el problema. No lo sabemos. Mi madre sólo lo llamaba por su nombre: Eduardo.

—Cuando mi suegra nos contó la historia —explica Carmela—, yo intenté que nos dijera el apellido del padre de Rafael. Pero no nos lo dijo. No se acordaba o no quería acordarse. No sé. El caso es que se murió sin decirlo.

Pepe enciende un cigarrillo. Necesita pensar un momento. Los Linares lo miran con cara de preocupación.

—Vamos a ver todo lo que sabemos. Si me olvido de algo, díganmelo. Sabemos que es sevillano y rico, que se llama Eduardo y que tuvo una relación con su madre en... Por cierto, ¿en dónde? ¿En Sevilla?

—Sí. Fue en Sevilla. Pero mi madre, cuando él

«Comprendo. O sea que ustedes quieren localizar a ese hombre.»

la abandonó, se vino a Madrid. Y aquí hemos vivido siempre.

—¿Pero su madre era sevillana?

—Sí. Toda su familia es de Sevilla.

—¿Y ustedes no han hablado con sus familiares? ¿Algún tío o alguna tía que conozcan la historia?

—Mi madre sólo tenía un hermano que se murió hace unos años.

—¿Estaba casado?

—No, era cura.

—¡Ah!... —Pepe ve las cosas cada vez más complicadas—. ¿Y alguna vecina, algún amigo de su madre?

—Mire, la verdad es que eso no lo hemos intentado... No sabemos por dónde empezar... Si usted acepta el caso, podría ocuparse usted mismo de eso...

—Yo, desde luego, voy a investigar. Pero les advierto que no va a ser fácil y que, además, va a ser lento: hay que hablar con mucha gente, hacer viajes... Lento quiere decir que también será caro.

—Eso no nos importa. Además, conocemos sus tarifas.

—Ah, ¿sí?

—Es que somos muy amigos de Matías Vázquez, ese amigo suyo.

—¡Hombre! ¿Y de qué lo conocen?

—Es que yo también soy piloto de Iberia[10] y Carmela ha sido azafata durante varios años.

—Pero lo he dejado —dice Carmela—. Tengo una librería especializada en viajes.

—Ahora hace mucho tiempo que no lo veo. A la que veo mucho es a su mujer. Somos muy buenos amigos. Bueno, déjenme pensar unos días y les llamaré para explicarles cómo voy a trabajar. ¿No tienen ningún dato más?

—No, yo creo que no. ¿Verdad, Carmela, que no hay nada más?

—No, no. Ah, bueno, sí. Lo de la sortija.

—¿Qué sortija? —pregunta Pepe.

—Cuando el padre de Rafael fue a ver a su madre, le regaló una sortija. Nos lo dijo ella antes de morirse. Dos días o tres después de su entierro, estábamos arreglando su habitación, recogiendo su ropa y todo eso, y en un cajón encontramos una caja con joyas, las joyas que ella había usado siempre y una sortija que nunca habíamos visto. Suponemos que será la que le regaló el padre de Rafael.

—Tienes razón. No me había acordado de comentarle eso.

—¿Y cómo es la sortija?

—Es de oro y tiene una especie de dibujo grabado y, encima, un topacio.

—¿Podrían traérmela cuando nos veamos? En estos casos todo puede ser útil.

—Sí, sí, se la traeremos. No se preocupe.

—De acuerdo —dice Pepe levantándose—. Dentro de unos días les llamaré.

* * *

Durante su solitaria comida en "Salvador", un restaurante casero, pero de gran calidad, Pepe no puede dejar de pensar en Rafael Linares. Le preocupan varias cosas: en primer lugar, que todo sea mentira, una fantasía de su madre, una viejecita que no distingue entre realidad y ficción; en segundo lugar, y suponiendo que la historia sea verdad, cómo empezar las investigaciones. Y, por último, saber si el verdadero padre de Rafael Linares está vivo o muerto. No toma postre. Pide un café solo, un coñac y la cuenta.

En la oficina está Susi esperándole.

—Jefe, ya han llegado los del caso Mateo. Y ha venido un mensajero a traerle este paquete.

—Gracias, Susi —dice Pepe cogiendo el paquete—. Voy a ver qué es. Ya te avisaré para que entren ésos.

Sentado en su despacho, Pepe abre el paquete. Está muy bien envuelto. Dentro hay una caja con una sortija y una tarjeta del matrimonio Linares que pone: "Esta es la sortija de la que le hemos hablado. Esperamos sus noticias. Muchas gracias por todo."

Pepe mira la sortija. Se da cuenta de que el dibujo parece un escudo. "Podría ser el escudo del apellido del padre. ¡Ojalá fuera eso! Todo sería más fácil." Llama a Susi por el teléfono interior.

—Susi, ya pueden entrar los de las cuatro. Y, por favor, llama a los Linares, los que han venido esta mañana, y pásamelos.

—A mí no me han dado el teléfono, jefe.

—Lo tengo yo. Me han dado una tarjeta. Espera que la busco.

Susi se sienta con el auricular en la mano. Sabe que Pepe Rey es muy desordenado y está segura de que tardará bastante en encontrar esa tarjeta. Se sorprende cuando inmediatamente oye a Pepe.

—Apunta. Es el dos setenta y siete, setenta y cuatro, cero cuatro.

* * *

El caso Mateo está prácticamente terminado y la reunión de esta tarde es sólo para aclarar algunas cosas. Dura muy poco tiempo. Cuando se van, Susi llama a los Linares. La mujer se pone al teléfono.

—¿Señora Linares? —pregunta Susi.

—Sí, soy yo. ¿Quién es?

—Soy la secretaria del detective Pepe Rey. Un momento, que el señor Rey quiere hablar con ustedes.

Pepe Rey se pone al teléfono.

—Señora Linares, soy José[11] Rey. ¿Pueden venir un momento a última hora de la tarde?

—Yo creo que sí. Pero espere un segundo, que se lo pregunto a mi marido.

Al cabo de un momento, Pepe vuelve a oír la voz de Carmela.

—No hay problema. Podemos ir cuando usted quiera.

—¿Les va bien a eso de las siete y media?

—Perfecto. Allí estaremos.

—Hasta entonces.

Cuando Pepe cuelga, Susi está pasando unos documentos a máquina.

—¿Está preocupado por algo, jefe?

—No, estoy pensando.

—¡Ah! Jefe, ¿se acuerda de que me dijo que para el Pilar[12] haríamos puente[13]?

—Sí, claro.

—¿Seguro que podremos?

—Sí. ¿Por qué?

—Es que, como han venido éstos hoy, pensaba que tendríamos trabajo.

—Y tendremos trabajo. Lo que pasa es que yo

voy a aprovechar el puente para ir a Sevilla a empezar las investigaciones.

—Pero, jefe, usted me dijo que esos días tenía a sus hijos.

—Es verdad. Me había olvidado. ¿Cuándo es el Pilar?

—El jueves de la semana que viene.

—Entonces lo que puedo hacer es irme a Sevilla mañana y pasar allí tres o cuatro días. Ya veré. El martes o el miércoles vuelvo y recojo a mis hijos.

—Eso está mejor.

—¿Tú qué harás?

—No sé para qué le explico las cosas si luego no se acuerda... Le dije que me iba a Barcelona, a casa de unos amigos que me han invitado al Liceo[14].

—Sí, es verdad que me lo dijiste. Me había olvidado.

—Claro, como nunca me escucha... —dice Susi un poco enfadada.

—Susi, sabes perfectamente que eres la mujer a la que hago más caso.

—Ya, ya... —dice Susi un poco irónica.

—Hay una cosa en ti que no entiendo. ¿Cómo te puede gustar la ópera?

—Siempre me ha encantado. Es el espectáculo total: cantan, actúan, bailan, la orquesta toca... Yo lo que no puedo entender es que a usted no le guste. Un día lo llevaré a La Zarzuela[15] y ya verá cómo cambia de idea.

—No sé si lo conseguirás...

—¿El qué? ¿Llevarlo o que cambie de idea?

—Lo segundo, Susi, lo segundo. Yo en cuestiones musicales me he quedado en Mozart y los Beatles.

—Pues Mozart tiene unas óperas maravillosas y, además, en italiano...

* * *

En ese momento llaman a la puerta. Es la segunda cita de la tarde. Pepe y un ejecutivo joven entran en el despacho. Cuando los ve pasar Susi piensa: "Éste se dedica al espionaje industrial." Aprovechando que no tiene mucho trabajo y que Pepe está ocupado, llama a sus amigos de Barcelona.

—Les habla el contestador automático de los doctores Joaquín Martínez y Francisco Tous. En este momento no estamos en casa. Le rogamos deje su nombre y su teléfono después de oír la señal. Tíííííí...

"¡Qué rollo esto de los contestadores!" Susi no sabe si colgar o decir algo. No soporta los contestadores. Se siente como una idiota hablándole a un aparato y diciendo cosas con una cierta gracia para suavizar un poco la tensión. Duda y, al final, cuelga sin decir nada. "Llamaré más tarde."

El teléfono suena sin parar. "Realmente no entiendo por qué esta temporada tenemos tanto trabajo. Bueno, así el jefe podrá vivir un poco mejor", piensa Susi. Coge el teléfono, apunta los recados y algunas llamadas se las pasa porque sabe que a Pepe le interesan: alguna amiga de Pepe que lo invite a cenar, por ejemplo. Entre llamada y llamada pasa informes y cartas a máquina, ordena recibos y hace fotocopias. Quiere dejarlo todo al día para poderse ir a Barcelona tranquila. A Susi no le gusta dejar trabajo pendiente. Al cabo de un rato el ejecutivo sale del despacho y va hacia la mesa de Susi.

—Me ha dicho su jefe que le dé mis datos. Aquí tiene mi tarjeta. ¿Necesita algo más?

—A ver... —dice Susi leyéndola—. Ésta es la dirección profesional, ¿verdad?

—Sí, la del trabajo.

—¿Podría darme la particular? Es que a veces hay que localizar a los clientes a cualquier hora y...

—Por supuesto. Tome nota. Fuencarral, 86, cuarto izquierda.

—¡Ah!, muy cerquita de aquí.

—Sí, muy cerca. ¿Quiere el teléfono de casa también?

—Sí, por favor.

—Es el dos treinta y uno, veintinueve, noventa.

—Muchas gracias.

—¿Tengo que pagarle algo ahora?

—Un momento. Voy a consultarlo con el señor Rey.

Susi se levanta y entra en el despacho de Pepe.

—Jefe, ¿tenemos que cobrarle algo a ése?

—Sí. Cóbrale doscientas mil ahora. Y le dices que el resto lo pagará al final. Y, por favor, aclárale que los gastos son aparte, que me he olvidado de decírselo.

Cuando Susi sale, ve al ejecutivo mirar entre los papeles que están sobre su mesa. Desde el principio no le ha gustado ese tipo y ella no suele equivocarse en las primeras impresiones.

—¿Busca algo? —le dice a su espalda.

El chico se vuelve y le sonríe.

—Sí. Buscaba su teléfono.

A Susi no le gustan nada estos jóvenes ejecutivos que se creen muy guapos y muy listos.

—Pues no hace falta que lo busque. Ya lo tiene. Es el mismo que el del señor José Rey.

Con cara de pocos amigos[16] se sienta de nuevo en su mesa.

—Son doscientas mil pesetas por adelantado, el resto al final y los gastos aparte.

—Muy bien. ¿Puedo pagar con un talón?

—Sí. Pero escriba detrás su nombre y apellidos y el número de su carné de identidad[17], por favor.

—Aquí tiene. Gracias y hasta la vista.

—Adiós.

* * *

Cuando el chico se va, Susi entra en el despacho de Pepe, que está buscando algo entre sus papeles.

—¿Qué busca, jefe?

—La sortija.

—¿Qué sortija?

—La que estaba en el paquete que han traído esta tarde.

—¿Por qué no levanta los papeles y mira debajo?

Pepe levanta un montón de carpetas y de notas que ha tomado en las reuniones de esta tarde. Efectivamente, debajo está la cajita y dentro, la sortija.

—Las mujeres sois mucho más prácticas que los hombres, desde luego.

—Es evidente que para buscar algo hay que mover las cosas.

—Sí, Susi, es evidente, pero si tú no me lo sugieres...

—Oiga, jefe, no me ha gustado nada el tipo ése.

Cuando he salido de su despacho, lo he encontrado mirando los papeles de encima de mi mesa. Le he preguntado si quería algo y me ha dicho que mi teléfono...

—Seguramente tú sí que le has gustado a él...

—No bromee, jefe.

—Siempre es así: cuando te gusta alguien, no te hace caso, y viceversa.

—¿Usted confía en él?

—Mira, es un jovencillo que ha llegado a ejecutivo demasiado pronto y que está metido en un lío de espionaje industrial...

"Lo que yo decía", piensa, triunfante, Susi.

—El caso —sigue Pepe— es que me va a pagar bien y no me va a dar mucho trabajo. Exactamente lo que necesitamos, Susi.

—Tenga cuidado, jefe. A lo mejor lo espía él a usted.

—Susi, me parece que últimamente estás leyendo demasiadas novelas policíacas. ¿Por qué no vuelves a leer a Galdós[18], que es más realista?

—¡Qué gracioso! —dice Susi con entonación infantil. Y se va.

Suena el timbre de nuevo. Es el matrimonio Linares.

—¡Hola! Buenas tardes —dice Rafael—. Esta vez sí que tenemos hora.

—Pasen, por favor. En seguida les atenderá.

Susi avisa a Pepe, que le pide que los haga pasar. Una vez dentro de su despacho, Pepe va directamente al grano[19].

—He estado mirando la sortija y tengo la impresión, pero sólo una impresión, de que no es un dibujo cualquiera, sino que podría ser el escudo de la familia.

—¿El escudo de la familia de mi padre? No había caído.

—Bueno —dice Pepe para que Rafael no se ilusione demasiado—, es una posibilidad. Es un dibujo que está debajo del topacio y que tendría que estudiar un joyero. Un joyero experto en heráldica. ¿Conocen alguno?

—No sé... Mi familia —dice Carmela— siempre ha comprado las joyas en el mismo sitio. Tal vez, si hablamos con esos joyeros, puedan ayudarnos.

—De acuerdo. Ustedes se ocupan de buscar un joyero para que estudie si es un escudo familiar y a qué apellido corresponde. Si logramos averiguar eso, tenemos una estupenda pista. Y yo me voy mañana a Sevilla. ¿Dónde vivía su madre cuando conoció a su padre?

—En la calle de las Sierpes[20]. Creo que en el dieciocho.

—¡Caramba! ¡Una sevillana auténtica! ¿Me da el nombre y los dos apellidos de su madre,

—Sí. Se llamaba Dolores Rivero Tena.

—Y me ha dicho que vivió en Sevilla hasta que se quedó embarazada, ¿no?

—Sí, efectivamente. Hasta 1948. Se vino aquí en agosto del 48.

—¿Y nunca vivió en otra ciudad?

—Bueno, veraneaba en Almonte.

—Eso está en Huelva, ¿verdad?

—Sí.

—Y, por último, ¿cómo se llamaba el amigo de su madre, el hombre que le reconoció legalmente?

—Antonio Linares Soto. Y también era de Sevilla.

—Bueno, con esto creo que tengo suficiente para empezar a trabajar. Si averiguan algo de la sortija antes de que yo vuelva, me llaman. Estaré alojado en el Hotel Alfonso XIII. ¿De acuerdo?

—De acuerdo. ¿Cuándo piensa volver?

—El martes o el miércoles a primera hora de la mañana.

—Que tenga buen viaje.

—Gracias. Pero no voy a ir en avión. Me dan miedo.

Se ríen y se despiden de Pepe.

* * *

Susi está recogiendo sus cosas para irse.

—Susi, me voy mañana a Sevilla. ¿Puedes llamar al "Alfonso XIII" para reservarme una habitación?

—¿Individual o doble?

—Susi, ¿crees que necesito dos camas para dormir yo solo?

—Nunca se sabe, jefe.

Mientras Susi llama al hotel, Pepe se sienta en su mesa y escribe algo. Cuando cuelga, Pepe le da instrucciones de lo que tiene que hacer mientras él esté fuera.

—Mira, no hay nada urgente. Uno de estos días vendrán los del caso Mateo a pagarte. Tienes que ir a recoger unas fotos que hice la semana pasada para el asunto Urrieta. Me dijeron que me las tendrían para hoy. Lo que pasa es que no sé dónde he dejado el resguardo.

—¡Qué raro!

—Menos bromas. Además, te las darán sin resguardo, me imagino.

—¿Qué más?

—Puede ser que el ejecutivo ése que tanto te ha gustado envíe unos documentos. Me los guardas encima de mi mesa. Pueden esperar. ¡Ah!, me olvidaba. Si llama Romerales, dile que todavía estoy esperando que me envíe la documentación del asunto aquel del posible espía soviético y que, sin esos papeles, no puedo hacer nada. Si Romerales no te los envía mañana, lo llamas tú.

—¿Tendré que hablar con el pelma ése? ¿No puede llamarlo usted a la vuelta?

—Susi, es una orden.

Mariano Romerales es un inspector de policía antipático y malhumorado, que muchas veces, casi siempre por casualidad, ha actuado en asuntos en los que también trabajaba Pepe Rey. Ni a Pepe ni a Susi les cae bien, pero han tenido que aprender a tratarlo porque han visto que van a tenerlo que aguantar mucho tiempo. Romerales, además, no les es de ninguna ayuda, sólo está interesado en seguir a Pepe para saber qué hace y, luego, decir que ha sido la policía la que lo ha descubierto todo.

—¿Algo más, jefe?

—No. Creo que ya está todo. Yo te iré llamando y, si hay algo urgente, me llamas o temprano, por la mañana, o a última hora, por la noche.

—¿Seguro que no se olvida de nada, jefe?

—¿De qué? —pregunta Pepe, que, como conoce

a Susi, sabe que esa pregunta significa que se olvida de algo.

—De su madre.

—¡Anda! ¡Es verdad! Toma, te dejo este talón y mañana lo ingresas en su cuenta. Suerte que te has acordado, Susi.

—Que tenga buen viaje, jefe. Y no corra.

—¿Cómo quieres que corra con mi coche? Por cierto, Susi, no te he comentado el asunto de los Linares. Voy a Sevilla a ver si puedo averiguar quién es su verdadero padre, que, por lo visto, es un rico sevillano. El chico quiere localizarlo para ver si puede conseguir una parte de la herencia.

—¡Qué materialista! Yo pensaba que iba a decirme que quería encontrarlo por amor —dice Susi echándose a reír—. ¿Y qué es eso de la sortija?

—Una posible pista. Un regalo que le hizo el padre a la madre. A mí me parece que es un escudo familiar. Pero aún no lo sabemos.

—Bueno, jefe, pues que le vaya bien en Sevilla.

—Hasta la vuelta, Susi. Cuídate y sé buena.

—Lo intentaré, jefe. Lo intentaré.

* * *

En Sevilla hace más calor que en Madrid en todas las épocas del año. Esta vez Pepe ha pensado en eso y se ha traído ropa de entretiempo. Ya se ha duchado, ha comido en el hotel y va a pie a la calle de las Sierpes. Rodea la catedral y vuelve a ver "La Giralda"[21] y esa plaza con esa fuente que tanto le gusta. Llega a la calle de las Sierpes y todavía no sabe qué va a hacer. "Lo primero —piensa— buscar el número

«... vuelve a ver "La Giralda" y esa plaza con esa fuente que tanto le gusta.»

dieciocho." Delante del portal se para un momento a mirar cómo es el edificio. "Parece de principios de siglo, de gente acomodada. En este tipo de casas la gente que vive suele llevar muchos años en el mismo piso. A ver si tengo suerte." Entra y va hasta la portería. Da unos golpecitos en el cristal de la puerta. Unos minutos después sale una mujer agitanada, de unos treinta y tantos años, secándose las manos en un mandil. "Demasiado joven para saber algo", piensa Pepe.

—Buenas tardes.

—Buenas tardes le dé Dios[22].

—¿Podría hacerle unas preguntas?

—Las que usted quiera.

—¿Sabe si aquí vivió Dolores Rivero Tena?

—¿Dolores Rivero? Pues no me suena de nada.

—Se fue a Madrid en el año 48.

—Pero, hijo, si yo no había nacido...

—Ya, pero tal vez alguna vecina le ha hablado de ella.

—Pues no. Pero pregunte usted a doña Concepción, la del segundo derecha. Es la más vieja de todos los vecinos. Igual se acuerda. Pero igual no, porque está ya muy viejecita, la pobre...

—Bueno, pues subiré. Gracias por la ayuda. Tome, para que se tome algo —le dice Pepe dándole un billete de quinientas.

—¡Huy! Muchas gracias. A ver si viene otro día a preguntarme más cosas...

Pepe se ríe de la broma. Le encanta esa gracia que todos los andaluces llevan dentro. Cada vez que se desplaza a Andalucía se da cuenta de que no es un tópico.

Llega al segundo derecha verdaderamente cansado. “Fumo demasiado y estoy cada día más gordo”, piensa mientras se apoya en la pared de la escalera, cogiendo aire para poder hablar. Llama al timbre. “Voy”, se oye. Unos minutos después una viejecita de pelo blanco, enormes ojos azules y muy pequeñita le abre la puerta.

—¿Qué desea, caballero?

—¿Es usted doña Concepción?

—Concepción Vargas, para servirle[23].

—Mire, soy detective privado y estoy buscando a alguien que pueda hablarme de Dolores Rivero Tena.

—Dolores Rivero... Dolores Rivero... —repite en voz baja la anciana como buscando en su memoria.

—Creo que vivió en esta casa, pero no sé en qué piso. En los años cuarenta se fue a Madrid...

La vieja sigue repitiendo el nombre en voz baja y Pepe sigue hablando para ver si puede ayudarla a recordar.

—Cuando se fue, estaba esperando un hijo... Parece que...

—¡Lola![24] ¡Me está hablando de Lola! ¡Lola Rivero...! ¡Ay, pobrecilla, qué mal lo pasó! ¡Lola!

—¿Podría ayudarme? Necesito hacerle unas preguntas.

—Sí, hijo, claro. Pase, pase a ese cuarto y siéntese junto al balcón. ¡Lola! —seguía repitiendo la viejecita.

—¿Eran amigas?

—Amigas, amigas, no. Éramos buenas vecinas. Nos ayudábamos cuando necesitábamos algo y muchas veces íbamos a la compra juntas para charlar un rato y distraernos. Y, además, todos los años íbamos un día a rezar a La Macarena[25]. ¡Qué bonita La Macarena! ¿Quiere tomar algo, hijo?

—No, muchas gracias, señora. Por lo que me cuenta, usted la conocía bastante bien.

—Eso sí. Aunque, cuando se fue de aquí, ni se despidió. Se fue sin despedirse, fíjese.

—¿Sabe usted quién era el hombre que la dejó embarazada?

—Yo no sé si me dijo el nombre alguna vez... Y, como estoy tan vieja, tampoco me acordaría. Los vi juntos una vez por la calle, y una amiga mía, Maruja me parece que era, me dijo que era muy rico, pero que muy rico, que tenía bodegas y varios cortijos[26] con toros y todo.

—¿Era de Sevilla ese hombre?

—Pues de Sevilla sería. Porque Maruja sólo conocía a la gente de aquí.

—¿Vive su amiga Maruja todavía?

—No. La pobrecita se murió hace unos años, sola, en un asilo. ¡Ay, qué pena me dio! ¡Tan sola!

—Y dice usted que lo vio una vez. ¿Se acuerda de cómo era?

—Muy buen mozo[27], muy alto, muy moreno, con el pelo muy rizado... Pero es que Lola era muy guapa también.

—¿Era mayor que su amiga Lola? —pregunta Pepe para saber si aún puede estar vivo.

—Pues mayor desde luego que no. Yo diría que era más joven. Al lado de Lola parecía un niño porque Lola era muy mujer...

Pepe se queda bastante rato hablando con doña Concepción. Está bien con ella. No sabe cómo la viejecita le ha empezado a hablar de otras cosas sin relación con Dolores Rivero, esa mujer que, abandonada por el padre de su futuro hijo, tuvo que irse de Sevilla y vivir sola en Madrid en aquellos momentos tan difíciles. Cuando sale a la calle es ya bastante tarde. Entra en un bar a tomar "pescaítos fritos"[28] y un poco de vino y luego se va al hotel. No hay ningún recado para él. Mañana por la mañana cogerá su viejo Peugeot y se irá a Almonte. Doña Concepción le ha dicho que al lado de la iglesia viven unas primas lejanas de Dolores Rivero.

* * *

Susi está aburrida. Es el segundo día sin Pepe y lo echa de menos. Además apenas tiene trabajo. Lo único que tiene que hacer es llamar a Romerales y le da mucha pereza. Baja al bar de la esquina a tomarse un pincho de tortilla y una cerveza. En el quiosco se compra "El País"[29] y lo lee en el bar. Media hora después, preocupada por lo mal que está el mundo, sube a la oficina decidida a llamar al policía. Tiene que hacerlo, si no, Pepe se enfadará con ella.

—Policía, ¿diga?

—Quisiera hablar con el inspector Romerales.

—¿De parte de quién?

—De la secretaria del señor Rey.

—Un momento, por favor.

Mientras espera, Susi oye voces y ruido de máquinas de escribir. De repente oye un ruido en el teléfono, un momento de silencio y, por fin, la voz de Romerales.

—Dígame, señorita, dígame.

—Pues, mire, lo que pasa es que... —dice Susi

un poco nerviosa—, que mi jefe se ha tenido que ir de Madrid y me ha encargado que le pidiera los papeles del caso del espía soviético porque...

—Querrá usted decir del presunto espía soviético...

—Sí, eso es lo que quería decir.

—¿Tiene ya el señor Rey alguna pista?

—Pues me temo que no. Me ha dicho que sin la documentación que usted tiene que enviarle no puede hacer nada...

—¡Vaya detective! ¡No puede hacer nada sin la policía!

Susi decide no hacerle caso.

—¿Se los mandará, inspector?

—Ya se los he mandado. Yo nunca me olvido de nada. Han salido de aquí esta misma mañana.

—¿Por correo? —pregunta tímidamente Susi.

—Se los he dado personalmente a un agente. Supongo que estará a punto de llegar a su oficina, señorita —contesta muy serio el policía—. Y, por cierto, ¿dónde está su jefe esta vez, señorita?

—Por Andalucía —contesta Susi sin querer darle explicaciones a ese estúpido policía—. Un viaje de placer —miente Susi.

—Pues dígale de mi parte que menos placer y que trabaje más en el caso del espía.

—Descuide. Se lo diré.

—Adiós. Buenos días.

Susi va a despedirse, pero el inspector ya ha colgado. "Éste gasta poco en teléfono", piensa irónicamente Susi. Para animarse después de esta tensa conversación decide llamar a Francisco, su amigo barcelonés, al hospital. "Allí, por lo menos, no hay contestador automático", piensa Susi.

—Hospital del Mar[30].

—Extensión doscientos catorce, por favor.

—Le paso.

—¿Sí?

—¿Está el doctor Tous?

—Sí, un momento. ¿De parte?

—De Susi Torres.

—¡Susi!

—¡Hola, Francisco! ¿Qué tal?

—Muy bien, ¿y tú?

—Estupendamente. Oye, te llamo por lo del Liceo. ¿Supongo que sigues invitándome?

—¿Tú qué crees? ¿Tienes puente?

—Sí. Llevamos una temporada de mucho trabajo y el jefe ha decidido que podíamos descansar.

—¿Qué día llegas?

—Si te va bien, llegaré el miércoles por la tarde. Cogeré el Puente Aéreo[31].

—Perfecto. Cuando sepas qué avión coges, llámame a casa, que te iré a buscar al aeropuerto.

—No, no hace falta. Iré en taxi.

—No, ni hablar. Llámame. Te estaré esperando en casa.

—De acuerdo, Francisquito, te llamo desde Barajas[32]. Bueno, pues hasta el miércoles. Me hace mucha ilusión verte.

—A mí también. Hasta el miércoles, Susi.

En cuanto cuelga, llaman a la puerta. "Espero que no sea el ejecutivo", piensa Susi. Es un policía nacional que trae los documentos de Romerales. Susi firma un papel, cierra la puerta y deja el paquete encima de la mesa del despacho de Pepe. "¿Qué estará haciendo? Es un poco raro que no llame." En ese momento suena el teléfono. "¿Será él?"

—José Rey, detective privado. ¿Diga?

—Hola, Susi, ¿qué tal?

—Jefe, estaba pensando en usted...

—No me digas... Pues debías pensar hablando por teléfono porque estabas comunicando...

—Muy gracioso, jefe. Estaba pensando en usted después de colgar. He hablado con Romerales...

—¡Vaya, Susi! ¡Qué valiente te estás volviendo!

—Sin bromas, jefe, que lo he pasado muy mal. Estaba tan antipático como siempre...

—Eso es normal.

—Ya, pero... Me ha preguntado por usted y le he dicho que estaba en Andalucía en un viaje de placer.

—Has hecho bien. A estos tipos lo mejor es decirles una buena mentira de vez en cuando. ¿Te ha mandado los papeles?

—Sí, acaban de llegar. También he recogido las fotos y le he ingresado el talón a su madre. Y no ha pasado nada más. ¿Y usted qué tal va?

—Ahora estoy en Almonte. Acabo de ver a unas primas lejanas de la madre de Rafael Linares.

—¿Y ha averiguado algo?

—Ellas dicen que eso de que el padre de Rafael era un rico señorito sevillano es mentira, que se lo inventaba la madre de Rafael para darse importancia... Pero no sé, no acabo de creérmelo. Son unas viejas solteronas y me parece que le tenían envidia a la madre de Rafael porque era muy guapa, mucho más

«... antes de subir a la oficina, Susi va a desayunar a "Los Pinchitos".»

guapa que ellas. Además, no le perdonan que haya tenido un hijo ilegítimo... Eso no lo aceptan.

—O sea que está como al principio...

—Como al principio, no. Ya te contaré. Ahora vuelvo a Sevilla porque esas mujeres me han dicho que hable con el hermano de un íntimo amigo de la madre de Rafael. Tal vez pueda ayudarme.

—¿Quiere algo más, jefe?

—Sí, Susi, necesito que me hagas un favor.

—Dígame.

—En el segundo cajón de mi mesa están las llaves de casa. Tendrías que ir allí y darle de comer a la gata. Creo que no le dejé comida suficiente.

—Pobre gata con este dueño que tiene...

—¿Irás?

—Claro. Ya sabe que los animales me encantan.

—Gracias, Susi. ¿Qué haría yo sin ti? Que pases un buen fin de semana.

—Igualmente, jefe.

* * *

El miércoles por la mañana, antes de subir a la oficina, Susi va a desayunar a "Los Pinchitos", una cafetería que está cerca de la oficina. Allí está Pepe Rey comiendo churros[33] y tomando un café con leche. "Y luego dice que no sabe por qué está tan gordo", piensa Susi mientras se acerca a él.

—¿Cuándo ha llegado, jefe? —le pregunta dándole un golpecito en la espalda.

—¡Ah! ¿Eres tú? ¡Qué susto me has dado! Es que todavía estoy dormido. Ayer. Al final llegué ayer por la noche, bastante tarde. Oye, estás muy guapa. Te sienta bien que yo me vaya de viaje.

—Es que ayer fui a la peluquería. Esta noche me voy a Barcelona con esos amigos tan guapos que tengo...

—Estoy celoso. Para verme a mí no te pones tan guapa.

—A usted lo veo cada día...

—¿Qué tal ha ido todo?

—Bien, sin problemas. He podido solucionar todo lo que ha ido pasando. Ayer llamó Rafael Linares para saber cuándo volvía. Le dije que volviera a llamar esta mañana.

—¿Qué vas a tomar?

—Un café con leche.

—¿Y nada más?

—No.

—Manolo, por favor, dos cafés con leche y otra de churros.

—Jefe, que va a engordar...

Sobre las nueve y media llegan a la oficina. Está sonando el teléfono. Es Rafael Linares. Queda en ir a la oficina lo antes posible. Media hora después llega, esta vez sin su mujer. Pasa al despacho de Pepe Rey.

—¿Qué tal el viaje, señor Rey?

—Bastante bien, bastante bien. ¿Saben algo de la sortija?

—Hemos localizado a un joyero que entiende mucho de heráldica y la está estudiando. Bueno, ¿ha averiguado algo?

—Algunas cosas. Hablé con unas primas de su madre que viven en Almonte. Dicen que no creen que su padre sea tan importante como decía su madre. ¿Usted cree que puede ser verdad eso?

—Sinceramente creo que no. Mi madre me contó la historia antes de morir. Nunca me había dicho nada. ¿Por qué iba a mentirme en el último momento?

—Eso mismo creo yo. Luego estuve hablando con una vecina de su madre. Ella me confirmó que su padre era un sevillano muy rico, bastante parecido a usted físicamente. Pero la pobre es ya muy mayor y no recordaba el nombre de su padre.

—¡Vaya! ¡Qué lástima! Una persona que encontramos y...

—Espere. Luego hablé con el hermano de Antonio Linares. Me explicó que, efectivamente, su padre se llamaba Eduardo, que tenía cortijos, ganadería de toros y bodegas. O sea, que ya es más fácil. No hay tanta gente en España que tenga todas esas cosas.

—No, desde luego. ¿Y eso es todo?

—No. Hay algo más. El último día fui a llevarle unas flores a la vecina de su madre. Al pasar por una calle cerca de la de las Sierpes vi una joyería fantástica. "La Purísima" se llama. No sé por qué fui a mirar el escaparate y vi que tenían una sortija igual que la suya. Con un dibujo distinto, claro.

—Si entiendo bien, eso quiere decir que mi padre la compró allí.

—Exactamente. Entré a preguntar y me dijeron que era un modelo exclusivo de esa joyería. Les dije que yo había comprado una en un anticuario y que me gustaría que me dijeran a qué apellido corresponde. Hemos quedado en que se la mandaré.

—Bueno, algo es algo.

—Ya le dije que sería lento. ¿Cuándo podrá traerme la sortija?

—Yo creo que Carmela se la puede traer esta misma tarde. Yo no podré venir porque tengo un vuelo. Estaré unos días fuera de Madrid.

—De acuerdo. Dígale a su mujer que no se olvide, ¿eh? Y buen viaje.

* * *

Susi ya está sentada en el avión. Pepe Rey le ha dado la tarde libre. Ha tenido tiempo de comer tranquilamente, preparar la maleta, ducharse, arreglarse y llegar al aeropuerto para coger el avión de las siete. También ha llamado a Francisco para decirle que llegará sobre las ocho si todo va bien. El avión ya está lleno, han cerrado las puertas y se oye la voz de una azafata: "Buenas tardes, señores pasajeros, el comandante Linares y toda su tripulación les damos la bienvenida a bordo del Boeing 727 "Ciudad de Mallorca". Les rogamos que se abrochen los cinturones, mantengan el asiento en..." La azafata sigue dando instrucciones, pero Susi ya no la escucha. Se lo sabe de memoria. Cuando ha oído el apellido del comandante ha pensado: "Otro torero. Espero que esta 'faena'[34] la haga bien." Y se sumerge en sus pensamientos.

Recuerda el día que conoció a Francisco. Fue en el verano del 77. Ella había ido a pasar las vacaciones a Menorca[35]. Había alquilado una bicicleta y se dedicaba a recorrer la isla. Le encantaba poder ir a calas y playas solitarias: "Cala Mitjana", "Sa Macarella", ... y, cuando se cansaba de soledad, acercarse a Ciudadela y tomarse algo entre la multitud que paseaba cerca del puerto, o ir a Mahón, la capital, de compras... Una tarde, cuando pasaba por San Cristóbal, un pueblecito prácticamente en el centro de la isla, se cayó de la bicicleta y se hizo bastante daño. Unas personas que pasaban por ahí la llevaron a casa del médico del pueblo. Era un chico joven, alto y guapo. La curó, la trató muy bien y al día siguiente ella volvió para que le hiciera una revisión. Aquella noche se fueron a cenar juntos, a tomar una "caldereta"[36] a Fornells. El médico era Francisco. Lo pasaron muy bien. Los dos tenían una manera de pensar muy parecida.

Susi recuerda que, luego, Francisco fue a trabajar a Valencia y, después, a Barcelona. En aquella época Susi había ido varias veces a Barcelona. Le encanta esa ciudad. Susi se siente muy mediterránea[37], aunque toda su familia sea castellana. En Barcelona lo pasó siempre muy bien y conoció a casi todos los amigos de Francisco: a Joaquín, que estuvo dos años trabajando en un hospital de Madrid y con el que salió mucho esa temporada; a Lola y Sebastián, la hermana y el cuñado de Joaquín, y a sus sobrinas; a Juan Serra, médico también, y que, para Susi, es la persona con más gracia que conoce y que, además, habla un castellano maravilloso; a Jorge Galuppo, un ingeniero argentino listísimo, que ahora se dedica a la informática y da clases de Formación Profesional[38], con el que Susi se fue un verano a Grecia; a Eduardo y Marisa, una pareja de intelectuales de los de verdad, que Susi tiene la impresión de conocerlos de toda la vida, y que suelen organizar en su casa estupendas cenas para los amigos; a María Rosa, una vieja amiga de Francisco con la que Susi se entendió muy bien desde el día que la conoció; a Ana y Miguel, siempre de buen humor; a los hermanos de Francisco... Susi piensa que tuvo mucha suerte cayéndose de la bicicleta, si no, no hubiera podido conocer a toda esta gente...

De nuevo la azafata: "Señores pasajeros, dentro de breves instantes tomaremos tierra en el aeropuerto del Prat[39]. Por favor, abróchense..."

"¿Ya llegamos? ¡Qué rápido ha pasado el tiempo!", piensa Susi mientras se saca un espejo del bolso y se mira a ver si está bien.

* * *

En la puerta de "Llegadas Nacionales" está Francisco esperando a Susi. Él también ha venido pensando en el verano del 77 y en la impresión que le produjo esa madrileña charlatana y simpática que se dedicaba a recorrer Menorca sola y en bicicleta. Tiene ganas de verla. Ahora hace mucho que no se ven: demasiado trabajo y demasiado cansancio los fines de semana. Un grupo de pasajeros empieza a salir. Francisco ya ha visto a Susi. Es casi la última. "Está como siempre. Con sus rizos, su cara de simpática y esas chaquetas de hombre que tanto le gustan", piensa Francisco. Susi también lo ve y lo saluda con la mano. Por fin, sale, corre hacia donde está Francisco y se abrazan.

—¡Qué alegría! ¡Hacía siglos que no nos veíamos!

—Es verdad. No sé cómo lo hemos soportado...

—Estás muy guapa, Susi.

—¡Hombre! Venía a Barcelona y no podía estar mal... A ti también te veo muy bien.

En ese momento llega Joaquín, que había ido a aparcar.

—¡Hola, Susi! ¡Cuánto tiempo!

—Joaquín, dame un beso. Eso mismo le decía a Francisco, que no puede ser.

—Sí, es verdad. Tenemos que inventarnos algo para vernos más.

Los dos intentan coger la maleta de Susi.

—Ya la llevo yo —dice Susi, muy feminista—. Apenas pesa.

—No, no. La llevamos nosotros.

—¿Dónde has dejado el coche, Joaquín?

—Aquí mismo, delante de la puerta.

Suben al coche y se van a su casa. Joaquín le ha preparado una cena estupenda. Mientras Susi se ducha y se cambia de ropa, Francisco pone la mesa y Joaquín saca la cena.

—Cada día cocinas mejor, Joaquín. Todo está buenísimo.

—¿No ves que he engordado un poco, Susi? —le pregunta Francisco—. Pues es por culpa de sus comidas...

—Bueno —dice Susi—, no te va mal. Antes estabas demasiado delgado.

Después de cenar, los tres se van a tomar una copa a un local nuevo, que Susi no conocía, y, bastante tarde, vuelven a casa.

* * *

El jueves, como es fiesta, duermen hasta las once. Francisco baja a comprar el desayuno y los periódicos. Siempre compra dos. Mientras tanto, Susi prepara café y Joaquín se ducha. Después van al Parque Güell, que está muy cerca de su casa y que a Susi le encanta, y van a comer al restanrante "Egipto", al lado de las Ramblas, junto al mercado de la Boquería[40]. Cuando entran, Susi ve a unos buenos amigos suyos, a los que pensaba llamar por teléfono para quedar uno de esos días.

—¡Hola, Mariel! ¡Hola, Manel![41] ¡Qué casualidad!

—¡Susi! ¡Qué alegría!

—¿Qué haces por aquí?

—Es que he venido a pasar el puente a casa de esos amigos —dice Susi señalando a Francisco y Joaquín que ya están sentados en una mesa—. Pensaba llamaros. Tengo muchísimas ganas de veros y estar con vosotros.

—Pues cuando quieras. A nosotros también nos apetece mucho verte.

—¿Os llamo mañana y quedamos?

—Perfecto.

Se despiden y Susi va a la mesa.

—¿Cómo puede ser que siempre te encuentres con gente conocida? —pregunta Francisco sorprendido—. Es increíble.

—No sé... Me pasa.

Después de comer vuelven a casa. Ponen música y leen los periódicos. A eso de las siete empiezan a arreglarse para ir al Liceo. Han quedado con el resto de la gente a las nueve menos cuarto delante de la puerta. La función empieza a las nueve.

—¿Cuántos vamos al palco?[42]

—Espero que los de siempre. Nueve y contigo diez.

—¿Por qué dices "espero"? —pregunta Susi sin entender el significado de la frase.

—Es que últimamente siempre hay más gente de la que pensamos: amigos de amigos que se apuntan...

—Y es un rollo —continúa Joaquín— porque con tanta gente nadie ve nada... Es que este año el palco es muy pequeño, más pequeño e incómodo que el del año pasado.

—Hoy no creo que vaya nadie más. Todos saben que vienes tú. Y ya quedamos que hoy iríamos los de siempre.

—Sí, así, luego, podemos charlar tranquilamente.

* * *

La función es de gala. Todos van elegantísimos. Joaquín, Francisco y Susi van en metro. Todo el mundo los mira. No es normal que en el metro vaya gente tan elegante. Pero es que Francisco tiene la teoría de que en metro se llega antes porque, cuando hay función en el Liceo, hay muchos atascos. Bajan en la estación "Liceo" y van hacia la puerta.

—Mira quién está aquí. La madrileña más guapa de todas. Dame un beso, nena —le dice Juan Serra a Susi.

—Pero bueno... ¡Cada día vas más elegante, Juan!

—¡Hola, Susi! —dice Jorge.

—¡Jorge! ¿Qué tal?

—Muy bien. Ya te contaré.

—Mira —dice Joaquín—, por ahí vienen Marisa y Eduardo.

«Mira quién está aquí. La madrileña más guapa de todas.»

—¡Marisita! —dice Susi dándole un beso—. ¡Eduardo!

—¡Hola, Susi! —le dicen los dos a la vez—. ¡Qué bien que hayas venido!

—Tenía muchísimas ganas de veros a todos.

—¿Falta alguien? —pregunta Francisco.

—Sí, Ana, Miguel y María Rosa.

—María Rosa dijo que vendría tarde.

—Y Ana y Miguel tienen sus entradas. O sea que, si queréis, podemos entrar.

—¡Hola a todos! —les dice un chico que Susi no conoce, alto, moreno, de pelo rizado y ojos verdes.

—¡Hola, Pablo! ¿Qué haces por aquí? —le pregunta Joaquín.

—Vengo a vuestro palco porque no he conseguido entrada. ¿Os parece bien?

No les parece nada bien, pero todos son muy educados y ninguno se atreve a decírselo. Diez personas en ese palco ya son demasiadas, pero once significa que nadie verá nada y que todos estarán incómodos y pasarán un calor espantoso. Sin mucho entusiasmo alguien le dice:

—Vale. Íbamos a subir ahora.

Entran y suben al segundo piso. El palco es el número 32. No es muy bueno. Es un poco lateral y, además, entre él y el escenario hay una inmensa lámpara que impide parte de la visión. Alquilar un buen palco en el Liceo es prácticamente imposible y mucho más caro. Ellos han alquilado éste porque es la única solución para poder ir a todas las óperas. Pero lo han alquilado para ocho o nueve personas como máximo. "Siempre nos pasa lo mismo —piensa Jorge—. Somos idiotas." Una vez dentro se acomodan como pueden.

Dos o tres personas tienen que estar de pie al fondo, otras subidas a unos asientos que están en los lados y sólo tres pueden sentarse en primera fila, pero una de ellas tiene la lámpara delante. Sin embargo, las personas que ocupen estos tres asientos saben que son las únicas que pueden ver algo, por lo que se pasarán toda la representación levantándose para ceder su sitio a las otras. Unos minutos antes de empezar, llegan Ana y Miguel.

—¡Cuánta gente! —dice Miguel.

—Pues todavía falta María Rosa —dice Juan—. Imagino que vendrá sola.

—¡Anda! ¡Si está Susi...! —dice Ana.

—¡Hola, guapos! Luego os doy un beso, que ahora no puedo moverme.

Se oyen los primeros acordes. Juan mira como puede el decorado. Ve que Pablo está en la primera fila junto a Marisa y Susi. "Éste sí que es listo... Nadie lo ha invitado, y, encima, se sienta ahí..." Empieza "Tosca"[43]. A Susi le encanta esa ópera, aunque después se pone triste. Es una versión bastante buena. En el palco la gente va cambiando de sitio sin hacer ruido. Sólo Pablo se queda todo el primer acto cómodamente sentado. En el descanso Juan no puede evitar decirle:

—Anda, ¡qué cómodo has estado!

Pero Pablo no le hace caso. Jorge, Miguel, Ana y Eduardo bajan al bar a tomar algo porque no han tenido tiempo de cenar. Susi, Francisco y Marisa se van al Salón de los Espejos a ver el ambiente. Allí se encuentran a un amigo de Francisco que es socio y los lleva al "Círculo", un lugar reservado exclusivamente a los socios. Susi está encantada porque nunca había estado allí. Es un lugar precioso, muy lujoso. En una sala hay unos magníficos cuadros de Casas[44], que nunca han estado en ninguna exposición.

—¡Qué maravilla!

Luego van al bar del "Círculo", pero no se atreven a tomar nada porque se imaginan que será carísimo.

—Fíjate, Susi, qué pasteles —le dice Marisa.

—Ya los he visto, ya.

—Me muero de hambre. ¿Sabes que estoy embarazada?

—¡No me digas! ¡Qué bien! ¿Se lo has dicho a Andrés?

—Sí, pero no lo entiende. Todavía es muy pequeño.

Cuando vuelven al palco, María Rosa ya ha llegado. Está guapísima, como siempre. Susi y ella se ponen a hablar, pero en seguida empieza el segundo acto. Ahora están más incómodos todavía. Y Pablo sigue sentado en la primera fila. "Es para matarlo", le dice bajito Juan a Jorge. En el tercer acto las cosas siguen igual, pero cuando Caravadosi canta: "E non ho amato mai tanto la vita!"[45], se oye un ruido, como un fuerte estornudo. Todos piensan que Pablo está resfriado. Cuando termina la función, el público está entusiasmado. "Ha estado muy bien, ¿verdad?" Y todos aplauden y aplauden. Pablo no se ha movido. Susi se acerca para preguntarle si le pasa algo y, cuando lo toca, Pablo se cae hacia atrás.

—¡Está muerto!— grita Susi.

—No digas tonterías... Esto te pasa por trabajar con un detective privado —dice, en broma, Francisco.

—Os lo aseguro. ¡Está muerto!

Joaquín se acerca. No hace falta comprobar si respira. Está muerto. Tiene el pecho lleno de sangre. Un pequeño aparato mecánico ha explotado junto al corazón. Alguien lo ha matado.

—Tenemos que llamar a la policía. ¡Está muerto! —dice, horrorizado, Joaquín.

—No toquéis nada, por favor —dice Susi, que sabe mucho de estas cosas.

Juan y Francisco van a avisar a los empleados del Liceo y a llamar a la policía. Los demás se quedan en el palco. La gente del palco de al lado se ha dado cuenta de lo que ha pasado y se quedan para ver cómo acaba la cosa. Todos estan nerviosísimos. Al cabo de un rato llega la policía.

—Todos ustedes están detenidos. Y ustedes —dice un policía mirando a los del palco de al lado—, también.

—Oiga, que nosotros... —protestan.

—Ustedes, también.

* * *

La noche en Comisaría es tremenda. Los han llevado a una que está en pleno barrio chino[46]. El espectáculo es lamentable. Además han empezado a interrogarles uno a uno, con mucha agresividad, presuponiendo que ellos son los asesinos. Los interrogatorios han complicado todavía más las cosas. Primero, porque los del palco de al lado les han dicho a los policías que han oído que un hombre decía que iban a matar a alguien. Y, además, porque la policía ha encontrado motivos en todos ellos, menos en Susi, para matarlo. Pablo Ordóñez había conseguido un puesto de trabajo que le correspondía a Juan Serra, pero Pablo, usando un enchufe[47], se lo había quitado. También a Francisco le había quitado una novia, una enfermera del hospital a la que Francisco quería mucho y que, ahora, era la actual compañera de Pablo. Joaquín, cuando estuvo en Madrid, conoció a Pablo porque trabajaban en el mismo hospital y todo el mundo recuerda las discusiones que tenían y la violencia que había entre ellos. María Rosa tampoco soportaba a Pablo. Había intentado seducirla varias veces, la esperaba en el portal de su casa, a la salida del trabajo, la seguía por la calle. Pablo Ordóñez era un hombre guapo y rico, al que todo le había salido bien en la vida, y no podía aceptar que una mujer lo rechazara. Pablo también había querido ligarse a Marisa, y Eduardo se había enfrentado con él. Y Jorge Galuppo, que no había tenido ningún problema con Pablo Ordóñez, era de todos ellos el único capaz de construir un aparato como el que esta noche ha explotado en el pecho de Pablo. Miguel y Ana le han explicado a la policía que casi no conocían a Pablo, pero que las pocas veces que lo habían visto no les había caído bien. Total, que la policía sospecha de todos.

Sobre las nueve de la mañana un policía le dice a Susi que puede marcharse. Al principio Susi ha pensado en quedarse allí, con todos sus amigos, pero después ha visto que era mejor salir para hablar con abogados y con su jefe. Cuando llega a casa de Joaquín y Francisco, cansada y muy preocupada, se echa a llorar. No entiende nada de lo que pasa. Coge el teléfono y llama a casa de Pepe Rey en Madrid.

—¿Diga? —dice una voz infantil.

—¿Quién eres?

—Guillermo.

—Hola, Guillermo. Soy Susi. ¿Puedes decirle a tu padre que se ponga?

—Está durmiendo.

—Despiértalo, por favor.

—¿Sí? —dice una voz grave al otro lado del teléfono.

—Jefe, soy Susi.

—¿Qué pasa? ¿Me echabas de menos y has decidido despertarme?

—Jefe, todos mis amigos están detenidos. Ayer en el Liceo mataron a un hombre en nuestro palco con un aparato que le pegaron en el pecho. La policía cree que uno de ellos es el asesino. O todos. ¿Qué podemos hacer, jefe?

—¿A quién han matado?

—A Pablo Ordóñez, un médico que antes trabajaba en Madrid y que, desde hace muy poco, vive en Barcelona.

—¿Tú lo conocías?

—No. Joaquín Martínez, el médico amigo mío que estuvo trabajando en Madrid, me había hablado alguna vez de él. Estaban en el mismo hospital. Pero yo lo vi ayer por primera vez.

—¿Y cómo están tus amigos?

—Preocupadísimos. ¿Cómo van a estar? Y, encima, están en una Comisaría en el barrio chino. ¿Qué hago, jefe?

—A ver... Llama a Elvira Posada, que es una abogada amiga mía para que vaya a verlos. Si no la encuentras, llama a Merche Gracia. Los teléfonos deben estar en el listín de Barcelona. Yo no los tengo aquí. Si no los encuentras...

—Lo vuelvo a llamar.

—Eso. Dile a Elvira o a Merche que averigüen dónde vivía Pablo Ordóñez en Madrid. Así yo podré ir a su casa a ver si descubro algo. Y no sé qué más...

—Jefe, el inspector de policía que lleva el caso es de la misma edad que Romerales. ¿Y si lo llama para ver si lo conoce...?

—Mmm... No me gusta mucho la idea, Susi.

—Inténtelo, jefe. Hágalo por mí.

—Llámame luego, ¿quieres? Y tranquilízate. Ya verás como todo se aclara. Porque... Oye, Susi, ninguno de tus amigos ha podido asesinarlo, ¿verdad?

—Claro que no, jefe.

Susi llama a la abogada. Afortunadamente la encuentra en casa. En seguida va a ir a verlos a la Comisaría y luego llamará a Susi. Sobre las dos del mediodía Elvira se presenta en casa de Susi.

—Vamos a ver... El caso no es fácil. La persona que ha asesinado a Pablo Ordóñez sabía que todos tus amigos tenían problemas con él. Parece un "trabajo" hecho por asesinos profesionales, de ésos que alguien contrata...

—¿Y qué tal están todos?

—Muy nerviosos. Yo he intentado que dejaran salir a Marisa por lo del embarazo y tal, pero la policía no ha querido.

—¿Has preguntado si sabían la dirección en Madrid de Pablo?

—Sí, pero no tenían ni idea. Me han dado la de Barcelona y la de su novia.

—Entonces, en Madrid no podemos hacer nada.

—Sí, porque he conseguido que un policía me dejara ver la agenda del muerto y allí estaba la dirección. Toma, llama a Pepe y dásela.

—¿Y tú qué vas a hacer?

—Ir a ver a su novia.

—Pues espera, que llamo a mi jefe y te acompaño.

Unos minutos después Susi está hablando con Pepe Rey, ya más despierto.

—Apunte la dirección, jefe. Juan Bravo, 23, quinto. Y la de su familia es Velázquez, 48, cuarto izquierda.

—De acuerdo. Voy a dejar a los niños con mi madre y empezaré a investigar. Nos llamamos esta noche, ¿vale? ¡Ah! He hablado con Romerales. Dice que no va a hacer nada que pueda entorpecer el trabajo de la policía...

—¡Vaya!

* * *

La novia de Pablo Ordóñez es una chica no muy guapa, pero interesante, que vive en una casa muy bonita en San Cugat[48]. Cuando le explican que Pablo ha muerto, no puede creerlo. Llora y llora y dice continuamente que no puede ser verdad, que es imposible.

—Yo también tenía que ir al Liceo ayer, pero tuve que quedarme en el hospital haciendo guardia porque una compañera mía se puso enferma.

"O sea, que ésta no es la asesina... O, si lo es, tiene una coartada estupenda", piensa Susi y le pregunta:

—¿Quién podía estar interesado en matar a Pablo?

—No lo sé, de veras. No lo sé. Pablo era un poco

especial. No sé cómo definirlo... Un poco chulo, quizás. Y no tenía muchos amigos. Pero enemigos, gente que quisiera matarlo, tampoco... Como no sea por lo de la herencia...

—¿Qué herencia?

—Hace un mes, más o menos, se murió su padre. Un hombre riquísimo... Pero no, por la herencia no puede ser porque su madre se murió hace muchos años y él es hijo único... El dinero, las fincas, todo era para él. No hay nadie interesado en eso. No puede haberlo.

—Bueno, Rosa, nos tenemos que ir. Llama a alguien para que esté contigo.

—Sí, ahora lo haré.

Al salir Susi piensa en lo de la herencia. "Igual es una pista." Elvira se va a la Comisaría para ver si consigue que salgan de ahí en libertad condicional por falta de pruebas.

Durante toda la tarde Susi se pasea por el salón de la casa de Francisco. Tiene la sensación de que lo de la herencia es importante, pero no se le ocurre quién puede ser el asesino. Si Pablo Ordóñez es el heredero, matándole no gana nadie. Se lo comentará a su jefe en cuanto llame, por si acaso.

A las ocho la llama Pepe Rey muy excitado.

—Susi, Susi. No te puedes imaginar lo que me ha pasado.

—Pues no.

—He ido al piso de Pablo Ordóñez. No había nadie, claro, y tampoco he podido hablar con ningún vecino. Y, entonces, he decidido hacer de detective privado y he entrado en la casa.

—Caramba, jefe. Me sorprende. Ése no es su estilo.

—No, no lo es, pero por ti hago lo que sea.

—Gracias, jefe —dice entre emocionada y sorprendida Susi.

—Bueno, pues he encontrado una sortija igual que la que me enseñó Rafael Linares.

—¿Está usted seguro?

—Segurísimo. Me fijé muy bien.

—Jefe, esta mañana hemos hablado con la novia de Pablo. Nos ha dicho que el padre de Pablo se murió hace un mes y que, tal vez, a Pablo lo han matado por cuestiones de la herencia.

—¿Cómo has dicho? —pregunta confuso Pepe.

—Ella decía que le sorprendía que fuera por la herencia porque Pablo era hijo único y...

—¿Sabes qué pienso, Susi? Que Rafael Linares es el asesino. Rafael descubrió por su cuenta quién era su padre, se enteró de que se había muerto y ha asesinado a Pablo, su hermanastro, para quedarse con todo...

—No lo veo muy claro, jefe. Es demasiado evidente.

—¿Demasiado evidente? Viene a verme para que le ayude. Yo, como un tonto, empiezo a investigar y, mientras tanto, él, que ya lo sabe todo y que seguramente hasta conoce el testamento, mata a su hermano.

—Pero, jefe, si Rafael quisiera engañarle a usted, no le habría dejado la sortija...

—Eso es verdad. Nunca me la habría enseñado.

—Aunque...

—¿Qué, Susi? —le pregunta Pepe, que confía mucho en los razonamientos de Susi.

—¿A qué se dedica Rafael Linares?

—Es piloto.

—¿Piloto?

—Sí.

—Es que el avión en el que vine a Barcelona lo llevaba el comandante Linares. Me acuerdo porque pensé que tenía nombre de torero, como usted dijo el otro día.

—O sea que Rafael Linares está, o al menos anteayer, estuvo en Barcelona... Ahora mismo voy a llamar a su mujer. Luego te lo cuento. Hasta ahora, Susi.

* * *

—¿Carmela?

—Sí.

—Soy José Rey. ¿Está Rafael en casa?

—No, no está. Ahora mismo iba a llamarle.

—¿Por qué?

—Hoy tenía que volver de Barcelona. Anteayer tuvo un vuelo de Madrid a Barcelona, luego de Barcelona a Málaga y ayer regresaba a Barcelona. Lo he llamado al hotel para ver cómo le había ido y si ya sabía cuándo volvía a Madrid y en el hotel me han dicho que no ha pasado la noche allí. Entonces he llamado al aeropuerto. Ayer volvió de Málaga normalmente y sus compañeros le vieron coger su maleta para ir al hotel. Parece que en el aeropuerto se encontró a unos amigos porque lo vieron hablando con dos hombres. Pero no ha vuelto al hotel. Nadie entiende qué le puede haber pasado.

—Carmela, a lo mejor se ha quedado a dormir

en casa de esos amigos —dice Pepe empezando a pensar que Susi tenía razón y que Rafael no es el asesino.

—No puede ser porque me hubiera avisado. Siempre me llama en esos casos...

—Tranquilícese, Carmela. Ya verá como no pasa nada.

Pero el que no está tranquilo es Pepe. Si Rafael efectivamente ha ido a Málaga, no puede ser el asesino, pero podría haber contratado a alguien... Pero si hubiera contratado a alguien, el asesinato no hubiera sido el mismo día en que él estaba en Barcelona. Siendo piloto, hubiera podido escoger cualquier día en que él estuviera en el extranjero. Pepe vuelve a llamar a Carmela.

—Carmela, soy yo otra vez. Pepe Rey.

—¿Dígame?

—¿Se llevó el pasaporte su marido?

—Pues no lo sé. Un momento que voy a mirarlo... No. Está aquí.

—De acuerdo. Gracias.

Un dato más a favor de la teoría de Susi. "Rafael Linares, o Rafael Ordóñez, da igual, no es el asesino. Entonces, ¿quién ha asesinado a Pablo? ¿Y por qué ha desaparecido Rafael?" Pepe no acaba de entenderlo.

A última hora decide ir al piso del padre de Pablo y Rafael. Imagina que estará vacío y está dispuesto a entrar como antes en el de Pablo para ver si encuentra el testamento y le aclara el problema. Cuando llega al cuarenta y ocho de la calle Velázquez comprende que el señor Ordóñez era muy rico[49]. Es un magnífico edificio de finales de siglo. El portal está cerrado. Llama al segundo izquierda con la esperanza de que no habrá nadie. Tendrá que abrir dos puertas: la del portal y la del piso. Pero oye una voz de mujer.

—¿Quién es?

—Señora, soy un amigo del señor Ordóñez —miente Pepe—. Tengo una cosa importante que decirle.

—Le abro.

Suena un ruido metálico, Pepe empuja la puerta y se mete en el ascensor. En la puerta hay una viejecita muy arreglada y elegante con cara de no gustarle nada la visita de Pepe.

—Buenas tardes, señora...

—Adela Iturbe, el ama de llaves. Me extraña que fuera amigo del señor Ordóñez y que no le hubiera hablado de mí.

—Pues nunca me habló. Y eso que nos conocíamos mucho —sigue mintiendo Pepe—. ¿Puedo pasar?

—Por favor —dice la señora indicándole la puerta.

—Mire, vengo a traerle malas noticias. Pablo ha muerto, asesinado.

La vieja dice un "Pobre Pablo. Con lo joven que era..." que a Pepe no le gusta nada. Le parece que, en realidad, la vieja no se ha sorprendido. Siguen hablando del caso. Adela se da cuenta de que Pepe ha notado algo raro y, de repente, empieza a llorar de una manera que a Pepe no le parece sincera.

—¡Pobre Pablo! ¡Tan joven! Morirse un mes después que su padre... ¡Qué desgracia!

—Supongo que Pablo vivió con usted muchos años.

—Sí, desde que nació hasta que se compró un piso aquí en Madrid, después de terminar la carrera[50].

—Pero después se siguieron viendo...

—Sí, cuando su padre se instaló en Madrid, él venía muy a menudo a verle. Claro... —y dejó de hablar de golpe.

—Siga, siga. La estoy escuchando.

—Nada. ¿Qué decía? ¡Ah, sí! Nos veíamos mucho. Cuando se fue a Barcelona, menos, pero venía de vez en cuando.

—¿Era el señor Ordóñez cariñoso con sus hijos? —pregunta Pepe para ver si la vieja cae en la trampa.

Y cae.

—Bueno, con Pablo sí, al otro...

—Me parece que usted sabe muchas cosas que interesan a la policía. No se mueva de ese sillón mientras llamo por teléfono.

En ese momento la vieja empieza a llorar de verdad.

—Póngame con el inspector Romerales —dice Pepe—. ¿Romerales? Soy Pepe Rey. Venga con alguno de sus hombres a Velázquez, 48, segundo izquierda. Tengo un "regalo" para usted.

Al colgar se acerca a la vieja, que sigue llorando sentada en el sillón.

—Deje de llorar. Es demasiado tarde para llorar. Vamos a ver, ¿por qué mandó matar a Pablo?... Contésteme. La policía será más dura que yo.

—Eduardo Ordóñez era un hombre maravilloso. Yo le cuidé siempre. Cuando se quedó viudo, lo cuidé como si fuera su mujer. Toda mi vida se la he dedicado a él. Dejé a un novio que tenía por él. Pero él no me hacía caso. Yo era el ama de llaves y en paz. Su hijo

Pablo hacía su vida. Sólo se preocupaba de viajar, de salir con chicas, de divertirse y de gastar el dinero de su padre. Cuando Eduardo murió, pensé que me dejaría algo de herencia. Nada, no me dejó nada. Todo era para sus hijos. Para Pablo y para ese otro que no conozco.

—Que no conoce, pero que sabe quién es.

La vieja vuelve a llorar.

—Contésteme —le ordena Pepe—. Usted sabe quién es, ¿verdad?

—Sí, sí, sí que lo sé. En el testamento ponía que tenía otro hijo que se llamaba Rafael Linares. Por eso lo supe.

—Y como no podía soportar que esos chicos se quedaran con el dinero de su padre, gastó parte de sus ahorros para matar a uno y, a lo mejor, al otro. Dígame dónde está Rafael Linares antes de que sea demasiado tarde.

—Está en Barcelona.

—¿Vivo o muerto?

—Vivo. Yo quería que todo el mundo pensara que él es el asesino, que saliera en los periódicos, que todo el mundo sospechara de él. Y matarlo después, como si fuera un suicidio.

—Usted nunca ha querido a Eduardo Ordóñez, señora. Usted sólo se ha querido a sí misma. Dígame inmediatamente dónde está Rafael.

—Es que yo no lo sé. Lo tiene escondido en alguna parte la gente que contraté.

—Pero usted podrá localizar a esa gente, ¿verdad? —dice Pepe acercándose a la vieja y enseñándole una pistola, que hoy, en contra de su costumbre, ha decidido coger.

—Sííí... —dice la vieja muerta de miedo.

—Pues déme el teléfono.

—Aquí tiene.

Pepe coge un papel con un teléfono de Barcelona. En ese momento llaman a la puerta. Es Romerales. Pepe se lo cuenta todo. Romerales vuelve a interrogar a la vieja porque no puede creerse que una señora de esa edad y tan elegante pueda ser la culpable de un caso como ése. Para Mariano Romerales los asesinos tienen que ser jóvenes. No soporta a los jóvenes.

—Mariano —le dice Pepe.

—No me llame Mariano. Ya sabe que no aguanto que me llame así.

—Está bien. Romerales, tenemos todavía dos cosas pendiente. La primera, tiene que llamar al inspector de policía que lleva el caso en Barcelona para darle este número de teléfono, que localice dónde es y que vaya allí con varios policías. Encontrarán secuestrado a Rafael Linares, y si no está allí, esa gente sabrá explicarles dónde está.

—Eso es lo que iba a hacer, Rey. No dé órdenes a la policía. Sabemos muy bien lo que tenemos que hacer.

—No lo dudaba. Era sólo para recordárselo.

—¿Y la segunda cosa?

—Que el inspector de policía suelte a todos los detenidos la otra noche en el Liceo. Que los suelte inmediatamente y sin cargos. Adiós, Romerales. Tengo que irme. Ya he trabajado bastante por hoy.

* * *

Pepe va directamente a casa de su madre a buscar a los niños. Sabe que doña Cecilia tiene muy poca paciencia con los niños y ya lleva bastante rato con ellos. Cuando lo ven, Guillermo y Carlota se ponen contentísimos. "Con la abuela nos aburrimos mucho, papi", le dice Carlota. También doña Cecilia está contenta. "A ver si os vais de una vez y me dejáis ver la tele tranquilamente", les dice sin ninguna amabilidad.

—En seguida nos vamos, mamá. Pero primero tengo que hacer unas llamadas.

—¡Eso! Encima tendré yo que pagar tus llamadas...

—Mamá, es mejor que no digas nada... —le dice Pepe bastante serio y doña Cecilia se calla.

—¿Carmela? Soy José Rey.

—¿Sabe algo de mi marido?

—Sí. Lo sé todo. ¿Me deja ir a su casa y explicárselo?

—Sí, claro. ¿Pasa algo grave?

—No, no es grave, pero es un poco complicado. Espéreme allí y tranquilícese, su marido llegará esta noche o mañana. Se lo aseguro. Oiga, Carmela, ¿le importa que vaya con mis hijos? Es que no puedo dejarlos en ningún sitio y...

—¡Cómo va a importarme! Tráigalos, tráigalos. Me encantan los niños.

Ahora Pepe llama a Barcelona. Susi coge el teléfono.

—¿Sabes qué podrías hacer, Susi? —le dice Pepe a Susi.

—¿Qué?

—Coges un coche y te vas a la Comisaría a buscar a tus amigos. Están a punto de salir. Avisa a Elvira. Tendrá que ir a firmar los papeles.

—¿Lo dice en serio, jefe?

—Más en serio que nunca.

—¿Cómo lo ha descubierto?

—Es muy largo de explicar, Susi. Pero todo se ha arreglado: como tú decías, Rafael Linares no era el asesino. Ahora podrá demostrar su auténtica identidad y se quedará con toda la herencia. Aquí la víctima ha sido Pablo. Bueno, Pablo y tus amigos, que lo habrán pasado muy mal estos días.

—Seguro que organizan algo en su honor, jefe.

—Pues tendrán que organizarlo aquí en Madrid porque yo no pienso coger ningún avión para ir a Barcelona. Ah, Susi, otra cosa...

—¿Qué, jefe?

—Nunca conseguirás que me guste la ópera.

* * *

Notas

(1) El Rioja es un vino producido en las provincias de Logroño y Álava. Es el vino español más conocido internacionalmente.

(2) Nacida en Toledo, capital de la Comunidad Autónoma de Castilla-La Mancha.

(3) Se refiere aquí a la pensión estatal que reciben las mujeres que se han quedado viudas, cuya cantidad es un porcentaje del salario que percibía el marido.

(4) Es un establecimiento similar a los Bancos, pero sin fines lucrativos, en el que se ofrece la posibilidad de depositar el dinero en concepto de ahorro y por ese dinero se percibe un pequeño interés. Las prestaciones entre Bancos y Cajas de Ahorros cada día se asemejan más.

(5) En España suele hablarse, en términos generales, de «acento andaluz» para referirse a los fenómenos de ceceo, seseo y caída de las eses en los plurales, entre otros.

(6) Es muy frecuente, al hablar de un matrimonio o de una familia, anteponer al apellido el artículo «los».

(7) La palabra «señorito» aplicada a cualquier hombre significa que es una persona que quiere que todo se lo den hecho. Pero aplicada a su procedencia andaluza significa que es un hombre de clase social muy alta, generalmente terrateniente.

(8) Los españoles tienen dos apellidos: el primero, el del padre, y el segundo, el de la madre. Aquí el detective deduce que si fue abandonado por el padre, éste no reconoció legalmente a su hijo y, en consecuencia, no le dio su apellido. Generalmente, los hi-

jos no reconocidos por el padre llevan los dos apellidos de la madre.

(9) Los años cuarenta son en España de plena posguerra, tras la Guerra Civil (1936-1939) que dio la victoria al General Franco, quien implantó una dictadura de corte fascista. Una de las peculiaridades de esta dictadura es la de identificarse con la más conservadora moral católica. En esta época se exacerbó la defensa de la familia con la consiguiente represión de toda situación sentimental que no se ajustara al modelo de familia católica.

(10) «Iberia» es el nombre de la compañía aérea más importante de España.

(11) Es muy frecuente en España llamar «Pepe» a los hombres que se llamán José, sobre todo en relaciones de confianza.

(12) El día 12 de octubre está dedicado a la Virgen del Pilar, patrona de Zaragoza. Por ser el día en que Cristóbal Colón descubrió América (1492), se celebra el Día de la Hispanidad, festivo en España.

(13) Cuando hay un día laborable entre uno festivo y fin de semana, si ese día se convierte en festivo, se dice que se «hace puente».

(14) El Gran Teatro del Liceo, situado en Las Ramblas de Barcelona, es, después de la Scala de Milán, la sala de ópera más grande e importante de Europa.
Se construyó en 1844 por el arquitecto Garriga i Roca. La inauguración fue en 1848. Un incendio lo destruyó parcialmente y fue reconstruido por Oriol Mestres. La fachada es muy sencilla, pero, sin embargo, su interior es muy lujoso. En el techo de la sala hay importantes pinturas realizadas por pintores realistas barceloneses del siglo XIX (Martí Alsina y Rigalt, entre otros).

(15) En el Teatro Lírico Nacional de la Zarzuela, situado en el centro de Madrid, se organiza anualmente una temporada de ópera.

(16) «Tener cara de pocos amigos» significa, en este contexto, mostrar antipatía y enfado.

(17) D.N.I. son las siglas del Documento Nacional de Identidad, también llamado «carné de identidad».

(18) Benito Pérez Galdós (1843-1920), más conocido por Galdós, es uno de los más importantes escritores españoles de la segunda mitad del siglo XIX y es considerado el mayor exponente de la novela realista. «Fortunata y Jacinta», «La desheredada», «Tristana» y la serie llamada «Episodios Nacionales» son algunas de sus obras.

(19) «Ir al grano» es una expresión que significa tratar lo fundamental de un asunto, sin entretenerse en detalles accesorios.

(20) La calle de Las Sierpes es considerada la más popular y sevillana de las calles de la ciudad. En ella existió la Cárcel Real donde estuvo preso Cervantes y parece probado que allí escribió parte de «El Quijote».

(21) La Giralda es el símbolo de Sevilla. Esta torre, de fines del siglo XII, es un minarete almohade, idéntica a las de Rabat y Marrakech (Marruecos), de casi cien metros de altura.
En su interior hay una rampa que permitía subir hasta arriba a caballo.
La torre está rematada por una veleta que simboliza el «Triunfo de la Fe» (el triunfo de los cristianos frente a los árabes), llamada popularmente «El Giraldillo».

(22) Forma de saludo popular, muy frecuente en el habla andaluza.

(23) Fórmula en retroceso en el habla coloquial, que se usaba, sobre todo, cuando alguien se identificaba frente a otra persona.

(24) «Lola» es la versión familiar del nombre de mujer Dolores.

(25) La Virgen de La Macarena es también un símbolo de Sevilla. La imagen, una talla barroca, está en la Basílica de su mismo nombre, junto a las viejas murallas de la ciudad.
Los sevillanos sienten una enorme devoción por ella y, durante las procesiones de Semana Santa, cuando pasa La Macarena, la piropean y elogian su belleza. Esto explica que, en la novela, Concepción Vargas diga que es bonita.

(26) «Cortijo» es el nombre que reciben en Andalucía las fincas, generalmente latifundios, que tienen, además, casa para los propietarios.

(27) «Ser un buen mozo» es una expresión que significa ser alto, guapo y apuesto.

(28) Los «pescaítos fritos» (pescaditos) es una especialidad de la cocina de Sevilla, Málaga, Cádiz y Huelva.

(29) «El País», de carácter independiente y tendencia progresista, es el periódico de mayor tirada de España. Tiene una edición internacional, que aparece semanalmente.

(30) El Hospital del Mar es un centro sanitario del Ayuntamiento de Barcelona que está situado en «La Barceloneta», típico barrio de pescadores lleno de bares y restaurantes junto al mar.

(31) Entre Madrid y Barcelona, por ser éstas las dos ciudades españolas más importantes, hay vuelos que

salen cada hora y para los que no se puede reservar billete. A este sistema de vuelos se le llama «Puente Aéreo».

(32) Barajas es el aeropuerto de Madrid. Está sitado a 16 km. del centro, en la carretera de Barcelona.

(33) Los churros son una masa de harina frita, de forma cilíndrica y unida por las puntas. En Madrid son muy consumidos en los desayunos, pero también se encuentran en el resto de España, especialmente en fiestas populares.

(34) En términos taurinos, «faena» es lidiar un toro.

(35) Menorca es una de las cinco islas del archipiélago balear, en el Mar Mediterráneo. Mahón, la capital, y Ciudadela son las dos ciudades más importantes.

(36) Una de las especialidades gastronómicas de la isla es la «caldereta», guiso a base de langosta o de mero. En Fornells, un pueblecito de pescadores, es en donde mejor se cocina este plato.

(37) La alegría, la espontaneidad, la pasión y el amor a la vida son, entre otros, rasgos que se atribuyen al carácter mediterráneo. De los castellanos se dice que son secos, fríos y adustos.

(38) Después de la Enseñanza General Básica (E.G.B.), en España se puede cursar el Bachillerato Unificado Polivalente (B.U.P.), que dura tres años; el Curso de Orientación Universitaria (C.O.U.), de un año, y, tras las pruebas de selectividad, entran en la Universidad. Otra posibilidad después de la E.G.B. es estudiar Formación Profesional (F.P.), de cinco años de duración, para especializarse en alguna de sus disciplinas (electrónica, mecánica, informática, etc.). Si los estudiantes de F.P. quieren luego ir a la Universidad tienen que hacer C.O.U. y las pruebas de selectividad.

(39) «El Prat» es el aeropuerto de Barcelona. Está a unos 20 km. del centro, hacia el sur de la ciudad

(40) El «Parque Güell» es una de las más importantes obras del arquitecto Gaudí y es considerado uno de los mejores ejemplos de la Barcelona modernista (final del siglo XIX y principios del siglo XX).
«Las Ramblas» es un paseo que va de la Plaza Cataluña hasta el mar. Probablemente es la calle más famosa de Barcelona. Son típicos sus puestos de flores y de pájaros y sus quioscos, así como su ambiente, ya que son punto de reunión y de paseo a cualquier hora del día.
El Mercado de San José, más conocido por «La Boquería», está considerado como uno de los más coloristas y pintorescos de España.

(41) «Manel» es Manuel en catalán.

(42) Cada año, para toda la temporada de ópera, pueden alquilarse palcos. Como los precios suelen ser bastante caros, suele ocurrir que, para poder distribuirse el gasto, vayan más personas de las previstas para el palco.

(43) «Tosca» es una ópera de Giacomo Puccini, estrenada en 1900.

(44) «El Círculo de Amigos del Liceo» es un club que acoge a los propietarios de los palcos y a adinerados melómanos.
Dentro del edificio del Liceo hay unas instalaciones reservadas únicamente a los socios: restaurante, biblioteca, salones... En una de las salas hay una magnífica colección de cuadros del pintor catalán Ramón Casas, de fines del siglo XIX y principios del siglo XX.

(45) Cavaradossi es en la obra un pintor enamorado de Tosca, condenado a muerte por Scarpia. Minutos an-

tes de morir canta un aria muy conocida. La traducción del fragmento italiano es: «¡Y nunca había amado tanto la vida!»

(46) El barrio Chino, colindante con Las Ramblas, es la zona donde se concentra la prostitución, el tráfico de drogas y la vida nocturna de los sectores económicamente más débiles y marginados.

(47) «Tener un enchufe» significa estar recomendado por una persona influyente.

(48) San Cugat del Vallés es una ciudad que está a unos 35 km. de Barcelona, en la que últimamente se están instalando muchos profesionales que trabajan en Barcelona. Hay un magnífico monasterio con uno de los claustros románicos más famosos de Cataluña.

(49) En la calle de Velázquez, y, en general, en todo el barrio de Salamanca en donde está situada, hay elegantes edificios de fin de siglo habitados por personas de elevado poder adquisitivo.

(50) Realizar estudios universitarios se dice en español «hacer una carrera».